花園市立動物園

F_4

第一名

觀賞野生動物之旅！

U0019273

花園市立
動物園
指南
CITY ZOO

希望你也在這裡……

動物園

商店

休息

老虎　獅子

熊

噢，天啊！

獻給馬修、溫蒂、山米、喬、奇娜和薩克

史蒂芬·蘭頓

文、圖 史蒂芬 蘭頓　譯 謝靜雯

董事長 趙政岷　第五編輯部總監 梁芳春

副主編 胡琇雅　美術編輯 蘇怡方

讀者服務專線 0800-231-705

(02) 2304-7103

郵撥 1934-4724時報文化出版公司

信箱 10899 臺北華江橋郵局第99信箱

出版者 時報文化出版企業股份有限公司

10803台北市和平西路三段240號七樓

讀者服務傳真 (02) 2304-6858

發行專線 (02) 2306-6842

統一編號01405937

時報悅讀網 www.readingtimes.com.tw

法律顧問 理律法律事務所 陳長文律師、李念祖律師

Printed in Taiwan

初版一刷 2020年2月21日

阿福 在哪裡

作者｜史蒂芬‧蘭頓 Steven Lenton
譯者｜謝靜雯

阿福的家

現在是花園市立動物園的傍晚，所有的動物都安安穩穩的窩在床上，準備要睡覺。動物園管理員史丹利剛剛對大象艾莉和梅莉唱完催眠曲，正準備要來跟阿福講床邊故事。

可是阿福還沒準備要睡覺。
他有別的點子。

他一直夢想要吃棉
花糖、玩氣球、參
加派對。

阿福想要……

史丹利跳上嘎吱作響的老摩托車，
追在阿福後面加速衝刺。

動物園
市區
公園
迷宮

戲院

動物園

貓熊郵政

他在車流當中

計程車　咻咻嗡嗡的

穿梭不停。

「像我這樣聰明的動物園管理員，那頭討厭
的貓熊絕對不是對手！」他嚷嚷。

現正熱映
柔道熊貓7
以及 星際大掌

地鐵

歌劇熊影

熊朵拉 PANDĂRA

「哎唷ㄛ～ 要ㄠ是ㄕ那ㄋㄚˋ輛ㄌㄧ巴ㄅ士ㄕˋ沒ㄇㄟˊ擋ㄉㄤˇ住ㄓㄨˋ我ㄨㄛˇ的ㄉㄜ視ㄕˋ線ㄒㄧㄢˋ就ㄐㄧㄡˋ好ㄏㄠˇ了ㄌㄜ。」

咖啡

玩具

美妙的
烘焙兄弟

史丹利抵達市集，
眼神銳利的東張西望。

他就在那邊！

阿福很大一隻，圓滾滾、毛茸茸，
我很快就能找到他。

領帶

甜點

啊ㄚ哈ㄏㄚ！
我ㄨㄛ找ㄓㄠ到ㄉㄠ你ㄋㄧ了ㄌㄜ，阿ㄚ福ㄈㄨ！

我ㄨㄛ叫ㄐㄧㄠ
戴ㄉㄞ夫ㄈㄨ。

嗯ㄣ一喔ㄛ！

「抱ㄅㄠ歉ㄑㄧㄢ！」
史ㄕ丹ㄉㄢ利ㄌㄧ用ㄩㄥ力ㄌㄧ嚥ㄧㄢ
嚥ㄧㄢ口ㄎㄡ水ㄕㄨㄟ，拔ㄅㄚ腿ㄊㄨㄟ
跑ㄆㄠ向ㄒㄧㄤ公ㄍㄨㄥ園ㄩㄢ。

阿ㄚ福ㄈㄨ玩ㄨㄢ得ㄉㄜ不ㄅㄨ亦ㄧ樂ㄌㄜ乎ㄏㄨ。
他ㄊㄚ交ㄐㄧㄠ到ㄉㄠ了ㄌㄜ新ㄒㄧㄣ朋ㄆㄥ友ㄧㄡ、

去ㄑㄩ了ㄌㄜ音ㄧㄣ樂ㄩㄝ會ㄏㄨㄟ、

試ㄕ了ㄌㄜ冰ㄅㄧㄥ淇ㄑㄧ淋ㄌㄧㄣ。
（很ㄏㄣ好ㄏㄠ吃ㄔ，可ㄎㄜ是ㄕ沒ㄟ有ㄧㄡ棉ㄇㄧㄢ花ㄏㄨㄚ糖ㄊㄤ
那ㄋㄚ麼ㄇㄜ可ㄎㄜ口ㄎㄡ。）

阿ㄚ福ㄈㄨ聽ㄊㄧㄥ到ㄉㄠ遠ㄩㄢ遠ㄩㄢ的ㄉㄜ地ㄉㄧ方ㄈㄤ有ㄧㄡ個ㄍㄜ熟ㄕㄨ悉ㄒㄧ的ㄉㄜ聲ㄕㄥ音ㄧㄣ
正ㄓㄥ在ㄗㄞ叫ㄐㄧㄠ他ㄊㄚ。
可ㄎㄜ是ㄕ阿ㄚ福ㄈㄨ還ㄏㄞ沒ㄇㄟ準ㄓㄨㄣ備ㄅㄟ好ㄏㄠ要ㄧㄠ上ㄕㄤ床ㄔㄨㄤ睡ㄕㄨㄟ覺ㄐㄧㄠ。

噢ㄡ，糟ㄗㄠ糕ㄍㄠ！

阿ㄚ福ㄈㄨ！

阿ㄚ福ㄈㄨ！

可憐的史丹利一點都不愉快。
他在公園裡氣喘吁吁的走來走去，
在每個角落裡搜尋。
他怎麼都找不到阿福。
史丹利大聲呼喚。

「有沒有人可以幫我找到阿福？他是一豆

入口

貓熊迷宮

市場　迷宮

動物園　遊樂場

「去貓熊迷宮找找看吧，」
有個友善的女士建議，
「那個地方最適合熊躲了。」

貓熊，現在已經過了他的上床時間！」

史ㄕ丹ㄉㄢ利ㄌㄧ穿ㄔㄨㄢ過ㄍㄨㄛ迷ㄇㄧ宮ㄍㄨㄥ。

聳ㄙㄨㄥ立ㄌㄧ在ㄗㄞ眼ㄧㄢ前ㄑㄧㄢ。

聳ㄙㄨㄥ聳ㄙㄨㄥ著ㄓㄜ

此路
不通！

裡ㄌㄧ面ㄇㄧㄢ黑ㄏㄟ漆ㄑㄧ漆ㄑㄧ，牆ㄑㄧㄤ

這ㄓㄜ裡ㄌㄧ有ㄧㄡ點ㄉㄧㄢ

可ㄎㄜ怕ㄆㄚ，

即ㄐㄧ使ㄕ對ㄉㄨㄟ史ㄕ丹ㄉㄢ利ㄌㄧ這ㄓㄜ種ㄓㄨㄥ勇ㄩㄥ敢ㄍㄢ的ㄉㄜ

動ㄉㄨㄥ物ㄨ園ㄩㄢ管ㄍㄨㄢ理ㄌㄧ員ㄩㄢ來ㄌㄞ說ㄕㄨㄛ也ㄧㄝ是ㄕ。

到ㄉㄠ處ㄔㄨ都ㄉㄡ有ㄧㄡ形ㄒㄧㄥ狀ㄓㄨㄤ像ㄒㄧㄤ熊ㄒㄩㄥ的ㄉㄜ陰ㄧㄣ影ㄧㄥ，

你在
這裡

可ㄎㄜ是ㄕ沒ㄇㄟ有ㄧㄡ一ㄧ個ㄍㄜ是ㄕ阿ㄚ福ㄈㄨ的ㄉㄜ影ㄧㄥ子ㄗ。

「阿福，你在哪裡？」

史丹利呼喊。

他豎起耳朵努力聽回覆，

可是他只聽得到輕柔的腳步聲消失在遠方的回音。

阿ㄚ福ㄈㄨ知ㄓ道ㄉㄠ自ㄗ己ㄐㄧ應ㄧㄥ該ㄍㄞ等ㄉㄥ
史ㄕ丹ㄉㄢ利ㄌㄧ， 可ㄎㄜ是ㄕ他ㄊㄚ還ㄏㄞ有ㄧㄡ
一ㄧ個ㄍㄜ地ㄉㄧ方ㄈㄤ想ㄒㄧㄤ去ㄑㄩ。

那ㄋㄚ就ㄐㄧㄡ是ㄕ
遊ㄧㄡ樂ㄌㄜ場ㄔㄤ！

幽靈火車

試過遊樂場裡的每種設備之後，阿福的頭開始有點暈。他跟跟蹌蹌走到板凳那裡，手上滿是一一蓬蓬的棉花糖。

他ㄊㄚ坐ㄗㄨㄛ下ㄒㄧㄚ來ㄌㄞ吃ㄔ啊ㄚ

吃ㄔ啊ㄚ

吃ㄔ……

「呃ㄜ一喔ㄛ！」

阿ㄚ 福ㄈㄨˊ 用ㄩㄥˋ 最ㄗㄨㄟˋ 快ㄎㄨㄞˋ 的ㄉㄜ˙ 速ㄙㄨˋ 度ㄉㄨˋ 狂ㄎㄨㄤˊ 奔ㄅㄣ ……

穿ㄔㄨㄢ 過ㄍㄨㄛˋ 畫ㄏㄨㄚˋ 廊ㄌㄤˊ

史丹利

眾追不捨。

史ㄕ丹ㄉㄢ利ㄌㄧ追ㄓㄨㄟ在ㄗㄞ阿ㄚ福ㄈㄨ後ㄏㄡ頭ㄊㄡ，
胸ㄒㄩㄥ口ㄎㄡ起ㄑㄧ起ㄑㄧ伏ㄈㄨ伏ㄈㄨ。

他ㄊㄚ

滑ㄏㄨㄚ滑ㄏㄨㄚ走ㄗㄡ走ㄗㄡ

衝ㄔㄨㄥ下ㄒㄧㄚ畫ㄏㄨㄚ廊ㄌㄤ樓ㄌㄡ梯ㄊㄧ，

快ㄎㄨㄞ步ㄅㄨ跑ㄆㄠ過ㄍㄨㄛ，

行ㄒㄧㄥ人ㄖㄣ穿ㄔㄨㄢ越ㄩㄝ道ㄉㄠ

大ㄉㄚˋ樓ㄌㄡˊ裡ㄌㄧˇ……

高ㄍㄠ聳ㄙㄨㄥˇ入ㄖㄨˋ雲ㄩㄣˊ的ㄉㄜ˙

走ㄗㄡˇ進ㄐㄧㄣˋ對ㄉㄨㄟˋ面ㄇㄧㄢˋ

再ㄗㄞˋ往ㄨㄤˇ上ㄕㄤˋ

往ㄨㄤˇ上ㄕㄤˋ、

往ㄨㄤˇ上ㄕㄤˋ、